KB177773

바다랑
봄이랑
별이랑

저자 제주바다

마을과 음악으로 소통하는 예술로 돌봄 기획자.

바다랑 봄이랑 별이랑

바다. 봄. 별

책 / 소 / 개

하루에도 제주 반바퀴를 돌며 마을과 자신을 음악으로 돌보는 신나는 제주 바다쌤이 여행같은 육아 일상을 기록하며 바다쌤, 가족, 이웃, 내 아이들의 인생도 작품이되길 바라는 신나는 기록이다.

차례

책소개
5

바다 이야기
09 ~ 60

봄 이야기
61 ~ 89

별 이야기
91 ~ 106

이 책을 마치며
108

바다

이야기

2015년 제주에 왔다.

아무런 지인도 없는 곳에

제주가 좋아 무작정 내려왔다.

유채꽃 피는 제주

유채꽃

봄이 오면 제주는

노랑 노랑으로

물든다.

우리 눈도

노랑 노랑으로

물든다.

우도의 유채꽃밭

소의 등에도 꽃이 핀다.

유채꽃이 한가득

즐거움도 한가득

우리 꽃도 피었어요.

렛츠런 파크에서

꽃구경 실컷 하며

우리도 꽃처럼 자라나요.

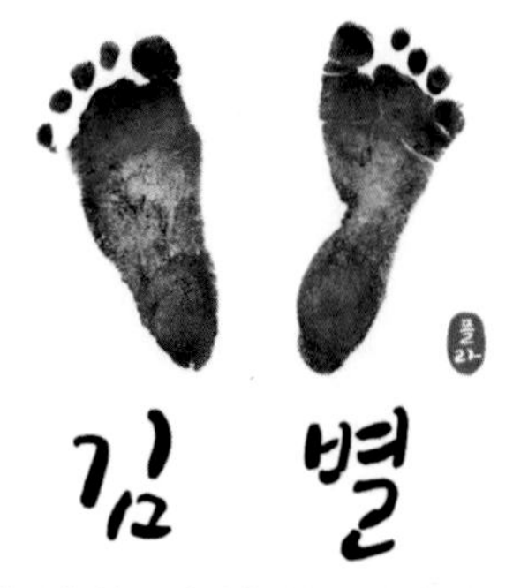

2016년 2월 17일 오후 12시 47분 원숭이띠 3.1kg 51cm B형

반짝반짝 빛나는 별 !
사랑하는 우리 별!!

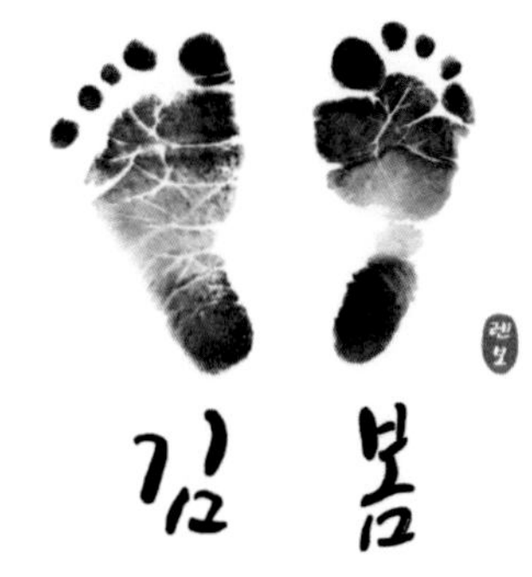

2014년 5월 9일 오후 12시 19분 말띠 3.14kg 48cm B형

봄찌어다~ 아름다움을 볼 수 있는 봄!
사랑하는 우리 봄!!

봄이도 봄을 꾸욱~

별이도 봄을 꾸욱~

발 도장으로 꾸욱~

킁킁~

봄의 향기가

너희에게도

느껴지니??

고사리꽃

제주에는

몸에 좋다는

고사리꽃도 피어!!

밤에도

꽃은 피지~

반짝반짝 빛나는

야광 꽃

쓱쓱 쓱쓱 그리며

나타나지!!

우리의 아지트

벚꽃 터널!!

등원하며 터널 통과

하원하며 터널 통과

꽃잎 비도 통과 통과

때로는 우아하게

때로는 용감하게

때로는 행복하게

꽃들을 대하는

우리들의 자세!!

나도 나도 꽃이야!!

봄꽃

별꽃

내 마음의 꽃이야!!

할머니를 따라서

슬슬~나들이 가볼까?

할머니도 뒷짐

별이도 뒷짐

눈이 부셔!!

박스 모자는 필수

봄나들이 가자!!

말을 타고

따그닥 따그닥

가다 보면

파릇파릇

숲들이 보여

숨어있는 봄이 보여

때로는 씽씽

스케이트를 타며

빠른 속도로

달려 보기도 해.

속도를 내서

봄을 따라가자.

때로는 느긋하게

봄을 바라봐

너희들 눈에는

무엇이 보이니?

제주의 봄은

목장에도 오지

초록 들판을

거닐다 보면

소들도

어슬렁

봄을 맞이해

캠핑을 가볼까?

넓은 들판에

텐트를 펼치고

초록 초록

싱그러움을

흠뻑 느껴봐!

봄의 싱그러움을

가득 머금고

무럭무럭

자라길.

행복하게

자라길.

우린 어디로 가는 걸까?

앞도 보고

뒤도 보고

옆도 보자

함께 하는 거야~

함께 해줄게

옆에서 함께 해줄게

있는 듯 없는 듯

네가 바라보는 곳을

나도 바라봐 줄게

함께 하자

바다 이야기 21

함께 해줄게

옆에서 함께 해줄게

있는 듯 없는 듯

두 손 벌려

함께 해줄게

함께 하자

바다 이야기 22

봄이 오고 있어

세상 밖으로

나가보자

용기 있게

폴짝

뛰어보는 거야

바다 이야기 23

제주에는

귤나무가 있어

제주에는

금귤 나무도 있어

새콤달콤이

있어

중국의 비파 악기와

닮았다고 해서

이름 붙여진

새콤달콤 비파

봄에 만날 수 있지

제주 딸기는

달콤하고 부드러워!!

매년 딸기밭에 가서

입에 베어 물기도 하고

예쁜 딸기 골라!!

부드럽고 달콤한

제주 딸기

산책 갔다가 만난

산딸기!!

이제 우리의 비밀장소

쉿~~

며느리에게도

비밀이야

푸르른 넓은 들판에

제주도의 초록 녹차밭

해풍을 맞고 자라

더 쌉쌀하고 깊은 맛이

나는 걸까??

우리도 해풍을 맞고

자라고 있으니

분명 깊은 맛을

풍기게 될 거야

날씨도 따뜻하니

밖에 놀러 나가자

좋아 좋아

따뜻한 봄 햇살

따뜻한 자연이

좋아 좋아

바다 이야기 29

생태공원에서

만난 노루는

풀을 너무 좋아해

햇살을 너무 좋아해

우리도 너를 좋아해

하늘과 바다

누가 누가

더 닮았나?

봄과 별

누가 누가

더 닮았나?

바다 이야기 31

바람 많이 부는

제주

봄에도

어김없이

바람을

만날 수 있지

바다 이야기 32

소가 누워있는

모습을 볼 수 있는

우도

우리도

우도에

왔어

바다로

둘러 쌓여진

제주도

돌로

둘러 쌓여진

제주도

봄으로

둘러 쌓여진

제주도

바다를 잡으러 왔어요

돌멩이를 잡으러 왔어요

물고기를 잡으러 왔어요

봄을 잡으러 왔어요.

봄의 사랑의 씨앗을

돌고래에게도

뿌려주자

사람들에게도

뿌려주면

사랑이

자라나겠지?

아쿠아플라넷에는

물고기들이 채워져 있고

성산 일출봉에는

제주의 신비들이

채워져 있다.

봄나들이 가자

영차 영차

언니가 데리고 갈게

그래 그래

같이 가자

봄 나들이 가자

워킹 워킹

나만 따라와~

그래 그래

워킹 워킹

같이 가자

봄이 왔음을

알리는

핑크 공주들

너희들도

어서

일어나!!

이쪽으로 와~

봄 몰러 가자

봄이가 봄을

몰아 보네

바다 이야기 41

봄 언니

이쪽이야

패스 패스

별에게도

봄을 보내줘

봄을 누가 받겠습니까?

제가 받겠습니다!!

배드민턴 채로

받아 볼까?

봄비가 오네~

너도 느껴봐

운동화야

너도 느껴봐

장화야

제주도의 봄비는

한참 머물다가 가

땅으로 주르륵

그냥 들어가기

아쉬운가 봐

찰방찰방

우리가

놀아줄게^^

한 해의 시작을

알리는 봄

우리 가족의

시작을

함께 해준 봄

반짝반짝

빛 나는 별

우리 가족을

빛나게

해주는

별

봄과 별이는

제주에서의

봄을

마음껏 느끼며

잘 자라고

있다.

제주의 자연을

마음껏 느끼며

제주의 봄과

놀고 있다.

제주랑 놀자.

바다랑

봄이랑

별이랑

제주의 봄

기다려지는

여름

.

.

.

.

봄

이야기

빗방울

하늘에서 빗방울이 똑똑

처음엔 콧물인 줄 알았는데

아니네…

빗방울은 시간이

지날수록 내 머리를 똑똑

처음엔 콧물인 줄 알았던

빗방울

겨울엔 겨울엔

봄에 피는 꽃은 지고

여름이 주는 여름 과일도 없고

가을에 단풍도 없어진다.

눈은 오고 손도 시리고

드디어 겨울이

찾아오네

낙엽이 바스락

학교 끝나고 길을

걸어가는데

낙엽이 바스락 바스락

낙엽만 밟으려고 총총총총총총

노랑색 낙엽도 바스락

빨강색 낙엽도 바스락

온통 낙엽 밟기 바스락 축제

해녀

물속 안에 들어가 전복 따지

물속 안에 들어가 해삼 잡지

숨차 물 위 올라가 숨 쉬고

바다 안에 들어가지

더 멀리 갈수록 더 깊이 들어가고

더 깊이 들어갈수록 숨 쉬는

소리도 적어지지

소라 잡고 멍게 잡는 해녀

귀신

내가 서 있을 땐

귀신이 내 뒤 우두커니

내가 뒤를 돌아보면

귀신은 쌩~도망가지

다시 앞을 보면 귀신은

다시 나 따라 졸졸졸

아빠를 부르면 귀신이

무서워서 쌩~도망을 가네

별자리

시컴한 하늘에 조그만

별들이 옹기종기

조그만 별들 이어 붙여

사자 만들자

조그만 별들 이어 붙여

전갈 만들자

모든 별을 합쳐서 이야기 만들고

별로 만든 사자와 하마는

이야기 들으려고 귀를

기웃기웃 세워 들지

놀이터

미끄럼틀, 시소, 그네

나는 놀이터 단골손님

내 친구들도 놀이터 단골손님

내 동생도 놀이터 단골손님

아이들이 많은 곳 놀이터

봄에는 시끌벅적

여름에는 속닥속닥

가을에는 룰루랄라

겨울에는 찬 바람만 씽씽

계절마다 아이들에 놀이터 마당

청소기

바닥이 더러우면

먼지를 야금야금

벌레보다 먼저

먹는다고 씽씽~

누구보다 먼저

달려가 먼지를

채취하네

청소기가

먼지를 먹네

주차장

차들이 들어왔다 빠졌다

차 소리 붕붕~

차들이 소리 내며

빠져나가네

큰 차, 작은 차

일렬로 쭉 서 있네

큰 차 소리는 붕붕붕

작은 차 소리는 삐삐삐

우리 집 주차장 노랫소리

골목길

봄이 되면 벚꽃이 사르르

여름이 되면 햇빛이 쨍쨍

가을 되면 낙엽이 눈처럼 펑펑

겨울 되면 고드름에 추억이 아사삭

골목길 옆 댕댕이 집

심심할 때마다 댕댕이랑 한 몸

댕댕이도 신이 나서 룰루랄라

나도 신이 나서 룰루랄라

항상 행복 하길
바라며.

엿장수

오리주둥이 가위가

엿들을 우두둑 잘라내네

친구 것이 더 길쭉

내 것이 짧아

속은 꽉 차 있네

친구도 달콤 나도 달콤

엿 하나로 웃음꽃 피었네.

다다다

놀러가자 다다다

밥 먹으러 가자 다다다

학교가자 다다다

낭만

물소리는 조르르르

기타 소리 울리며

귀 기울여 소리 들어보면

사랑에 소리가 들리네

바닷속에서는 물고기들이

헤엄치며 사랑을 일구네

이슬

창문 보면 떨어지네 뚝뚝

구슬처럼 이리 갔다 저리 갔다

빗물처럼 주르륵

봄비처럼 또로로

이슬을 보며 난 잠이 들지

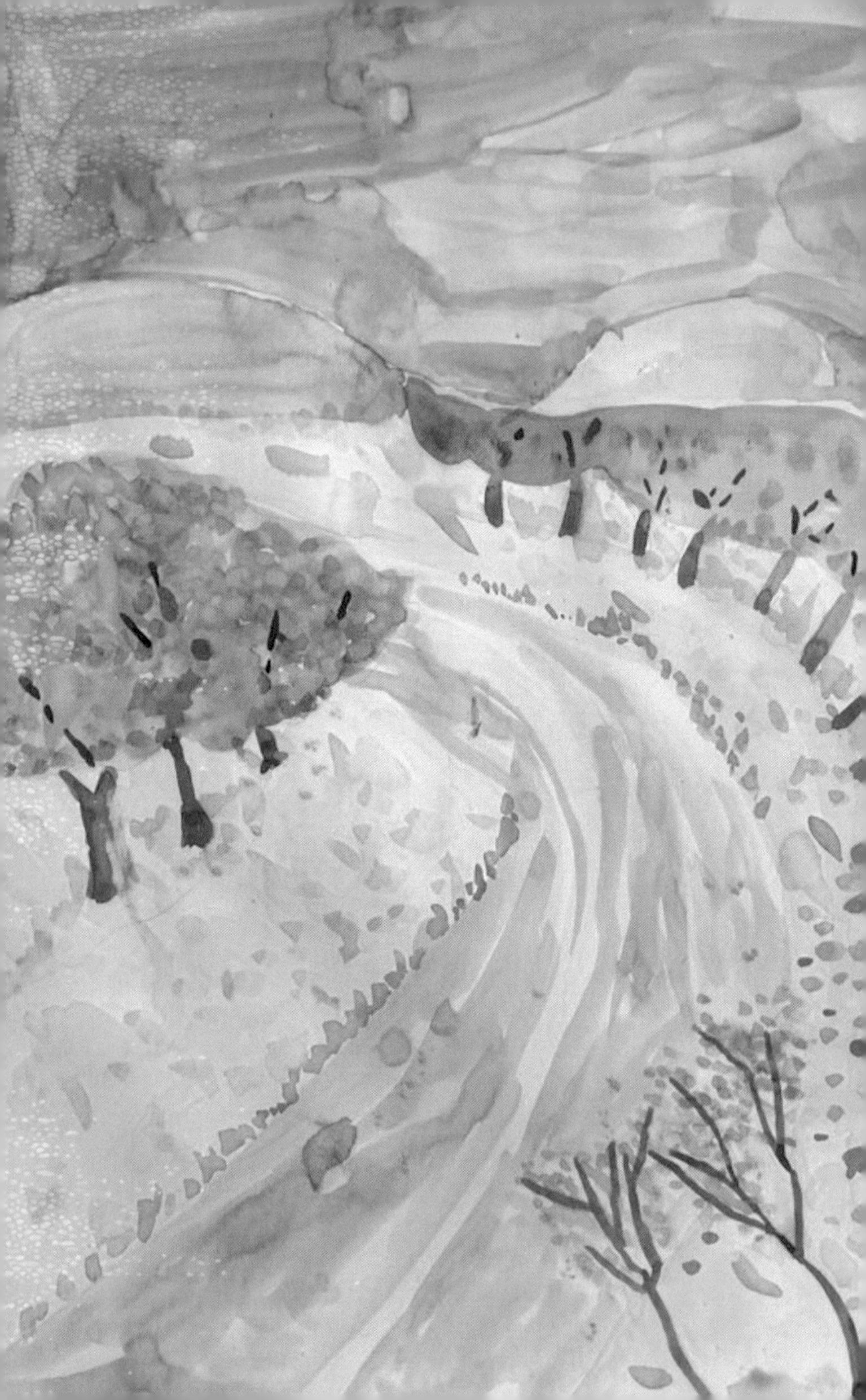

행복

행복은 누구나 오는 것이지

행복은 동물도 오는 것이지

행복은 좋아

행복을 들으면

기분이

좋아지거든

봄이가 태어난 날

축하해~

초콜릿과 딸기를 좋아하는

봄이의 생일날을

축하해~

계란후란이의 추억

내가 제일 좋아하는 계란후라이

내가 처음으로 만든 계란후라이

우리가족이 모두 좋아하는 계란후라이

먹어도 먹어도 맛있는 계란후라이

별

이
야
기

제목: 바닷가

김별

바닷가는 파도가 추렁추렁
파도가 추렁 하는 바닷가

바닷가는 파도가 출렁출렁

파도가 출렁하는 바닷가

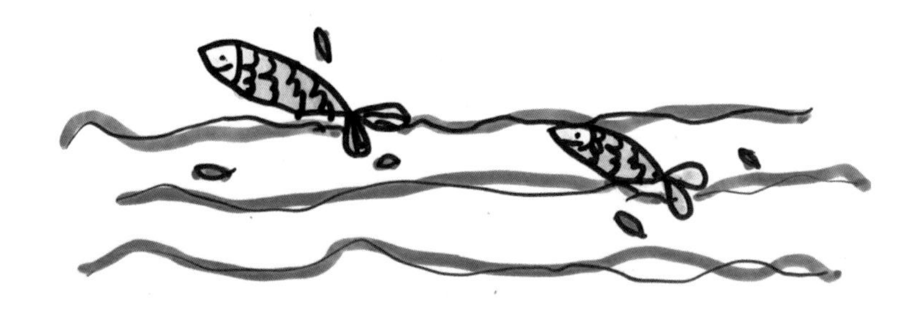

제목: 가방

김별

가방에는 모둠게 들어가지
아산 아산 과윌도 들어 가지
책도 들어가지

가방에는 모든 게 들어가지

아삭아삭 과일도 들어가지

책도 들어가지

제목: 그릇

김별

그릇을 만들자 만들자
까즈잔 까즈잔 을아~

그릇을 만들자 만들자

짜쟈잔 짜쟈잔 우와~

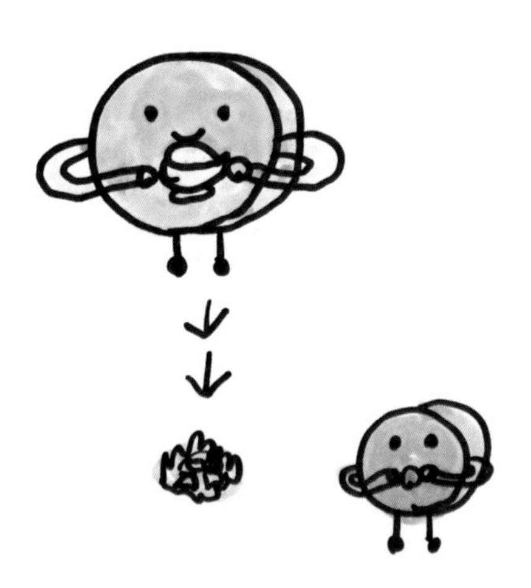

제목: 칠판

김별

칠판을 힌들다.

칠판 어굴에

글씨 를 스다.

칠판은 힘들다.

칠판 얼굴에

글씨를 쓴다.

제목: 양퐈 (양파)

양퐈는 나뽄말을 하면 김뿔
나빠지된
찰칼말읍 하면 기뽄이 좋아지된

양파는 나쁜 말을 하면

나빠지게 된다.

착한 말을 하면

기분이 좋아진다.

제목: 하늘

김별

하늘을 푸른 하늘

하늘를 몽그몽그

하늘을 자새이 보면 간 자모 양이 있다.

하늘은 푸른하늘

하늘은 몽글몽글

하늘을 자세히 보면

각자 모양이 있다.

제목 마라탕

마라탕을 만시다. 김별
마라·탕을 [illegible]다.

마라탕은 맛있다.

마라탕은 맵다.

제목 나무

김별

나무을 잔아도 또 잔아다.
근레서 집도 뚷올다.

나무는 잘도 또 잔다.

그래서 집도 뚫는다.

이 길을 계속 따라가다 보면

무엇이 나올까?

궁금해서 사람들은

계속 계속

따라가나 보다.

HAPPY
BIRTHDAY

생일날

작년 생일을 여행 가면서

케이크를 구할 수 없어서

못 샀었는데…

작년에 못 했으니, 케이크를

두 개 사야겠다는 별…

그래서 결국 두 개를 사서

신난 파티를 열었다.

별이의 케이크

보라색을 좋아하는

아기자기한 것을 좋아하는

별이 케이크

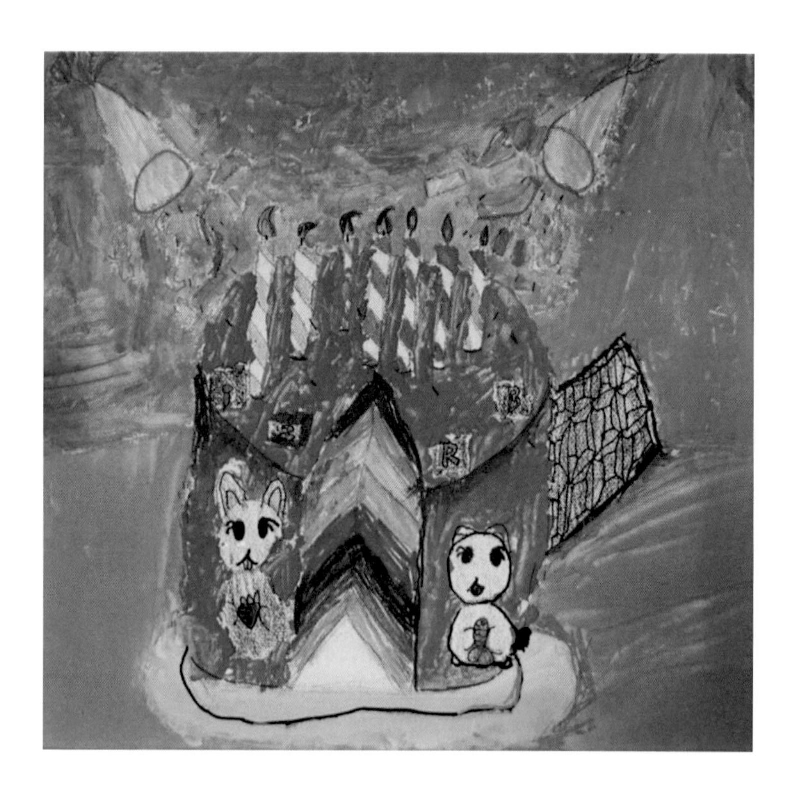

맛있는 붕어빵

찬 바람이 불기 시작하면

호호~불면서

먹는 붕어빵

겨울잠

겨울잠을 자고 있는 동물들을

그려본 별

이 책을 마치며…

봄, 별이가 이제 같이 한라산을

오르더라도 쉬엄쉬엄 올라갈 수

있게 되었다.

지난 10년도 즐거웠지만

앞으로의 10년은 더욱 많은 것을

누리며 살아갈 수 있지 않을까 싶다.

제주의 봄은 언제나 우리와 함께

해주기에 봄을 바라봐주고

함께 느끼며 파릇파릇 쑥쑥

같이 자라고 싶다.

언제나…

제주의 여름을
기다리며…

감사합니다.

바다랑 봄이랑 별이랑

발 행 | 2024년 07월 29일
저 자 | 제주바다, 봄, 별
그림(일러스트) | 봄, 별
표지사진 | 제주바다
디자인 | 오은정
인권표현검수 | 이지민
바른우리말검수 | 이지민
후원 | 제주특별자치도, 제주문화예술재단
주관 | 서귀포 오아시스
미디어에디터 | 최인서
작품편집, 에이전트 | 박산솔, 이정숙, 이선경
펴낸이 | 한건희
펴낸곳 | 주식회사 부크크
출판사등록 | 2014.07.15.(제2014-16호)
주 소 | 서울 금천구 가산디지털1로 119, SK트윈타워 A동 305호
전 화 | 1670 - 8316
이메일 | info@bookk.co.kr

ISBN | 979-11-410-9764-6

www.bookk.co.kr

2024 엄마의 활주로 '함께육아에세이'의 취지에 맞게 작가의 감정 표현과
아이의 언어 표현을 지키는 방향으로 교정 교열 하였습니다.

본 책은 강원교육모두체, 학교안심(확장)바른돋움체, 상주곶감체가 사용되었습니다.

본 책은 제주특별자치도와 제주문화예술재단의 후원을 받아 제작되었습니다.

값 13,700원
03810
9 791141 097646
ISBN 979-11-410-9764-6

예고생이
말하다
BOOKK